禮器碑

彩色放大本中國著名碑帖

孫寶文 編

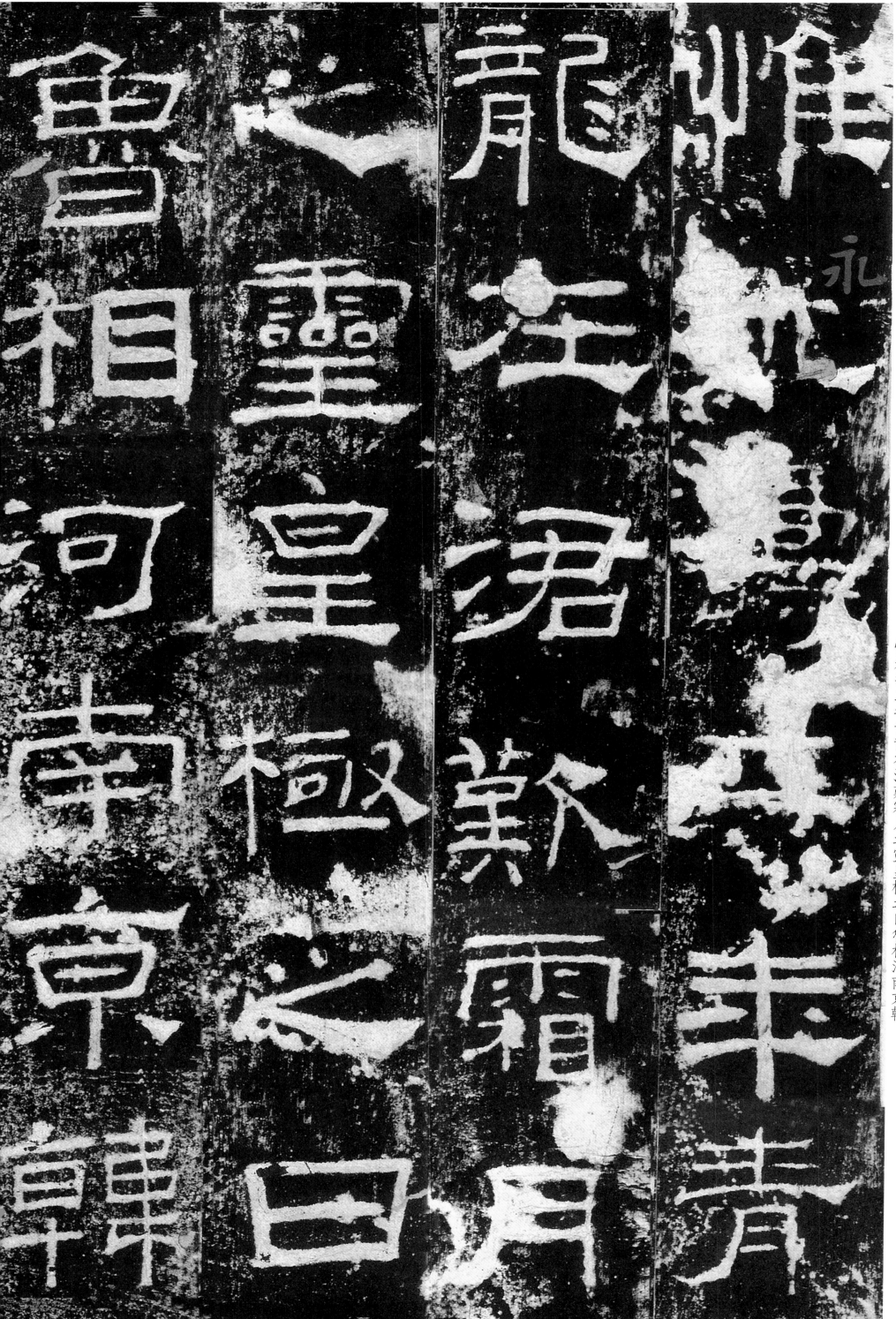

惟永壽二年青龍在涒歎霜月之靈皇極之日魯相河南京韓

君追惟大古華胥生皇雄顏□育孔寶俱制元道百王不改孔

子近聖爲漢定道自天王以下至于初學莫不騜思嘆卬師鏡

顏氏聖舅家居魯親里并官聖妃在安樂里聖族之親禮所宜

異復顏氏并官氏邑中繇役以尊孔心念聖歷世禮樂陵遲秦

項作亂不尊圖書倍道畔德離敗聖輿食粮亡于沙丘君於是

造立禮器樂之音符鍾磬瑟鼓雷洗觴觚爵鹿柤梪籩柉禁壺

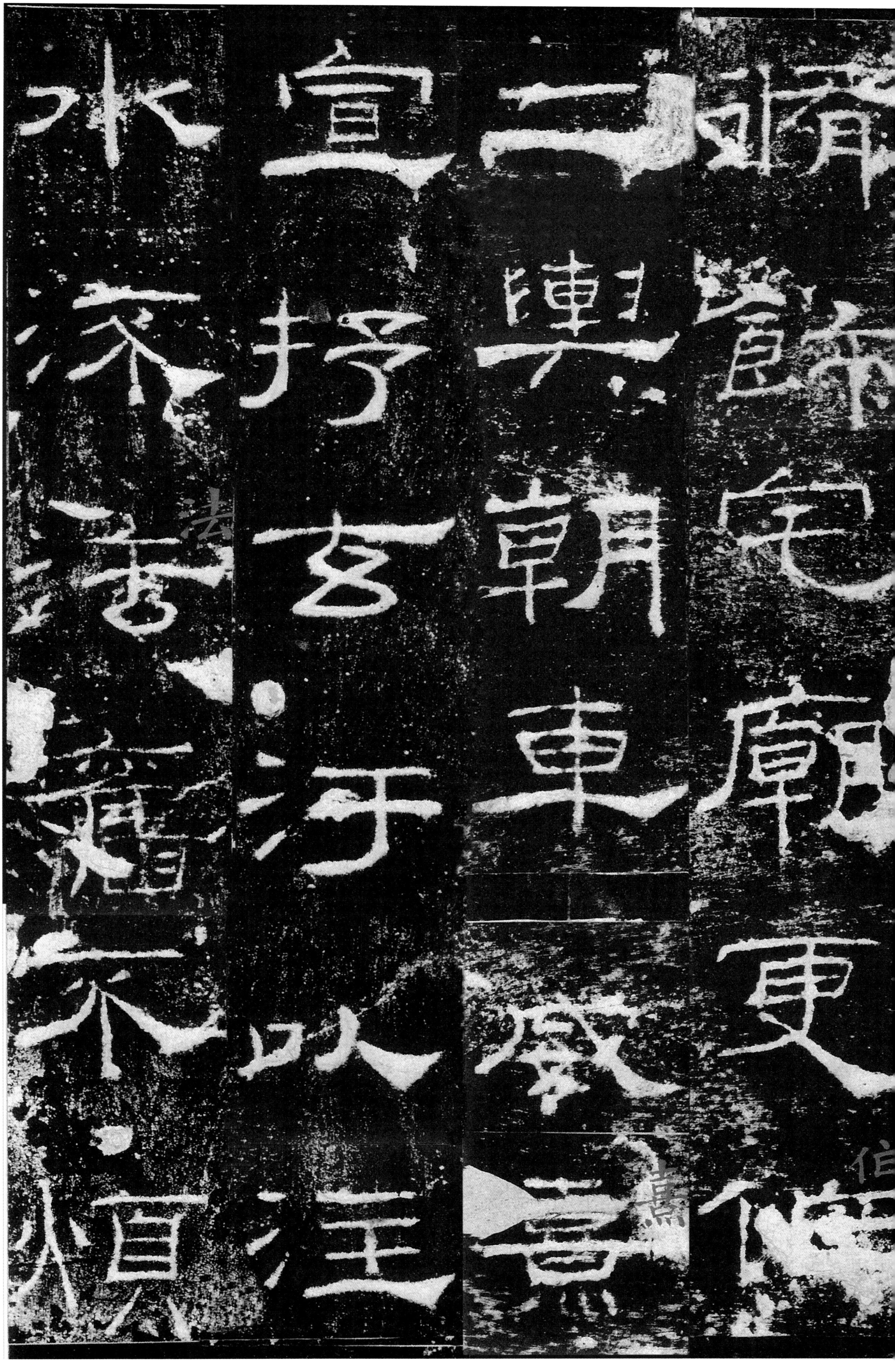

脩飾宅廟更作二輿朝車威熹宣抒玄汙以注水流法舊不煩

備而不奢上合紫臺稽之中和下合聖制事得禮儀於是四方

士仁聞君風耀敬咏其德尊琦大人之意逴彌之思乃共立表

石紀傳億載其文曰□□皇戲統華胥承天畫卦顏育空桑孔

制元孝俱祖紫宫大一所授前闓九頭以斗言教後制百王獲

麟來吐制不空作承天之語乾元以來三九之載八皇三代至

乾

孔乃備聖人不世期五百載三陽吐圖二陰出讖制作之義以

侯知奥於穆韓君獨見天意復聖二族違越絶思脩造禮樂胡

輂器用存古舊宇㲉㦧宅廟朝車威熹出誠造更漆不水解工

不争賈深除玄汙水通西注禮器升堂天雨降澍百姓訢和舉

國蒙慶神靈祐誠竭敬之報天與厥福永享牟壽上極華紫旁

伎皇代刊石表銘與乾運耀長期蕩蕩於盛復授赫赫罔窮聲

垂億載韓明府名勑字叔節故涿郡大守魯麃次公五千

故從事魯張嵩眇高五百穎川長社王玄君真二百故會稽大

守魯傅世起千相主簿魯薛陶元方三百河東大陽西門儉元

節二百故樂安相魯麃季公千相史魯周乾伯德三百